租税法学概論

東京大学教授
杉村章三郎

有斐閣

総　説

本　論

総　説

第1節　租税の意義

租税 (Tax, Steuer, Impôt) とは特別の役務に対する反対給付の意義をもたず，収入の目的を以て国又は地方団体が一般国民（地方団体の場合は住民）に賦課する金銭給付である。

この定義により，租税が他の負担と異る要素としては，次の諸点が強調せられる。

(1) 租税は金銭給付を内容とすること　租税は終局的には金銭を以て支払わるべき国民の負担である。固よりわが国の税制の沿革上，租税は常に金銭給付であったのではない。貨幣経済の発達しなかった明治以前においては，古代の租庸調を始めむしろ穀物その他の物品又は労役提供が租税の主な内容であった。明治時代の末になっても，小笠原島及び伊豆七島等では物品納による租税が認められていた。現行制度上は，租税はすべて金銭給付を内容とするものであって，相続税物納の場合のように，法律が時として不動産その他の物件を以て納税することを許すことがあっても，それは租税債務の履行の手段に過ぎない。

しかし永続的の金銭負担であることは必ずしも租税の要素ではない。戦時その他の非常事態の継続を条件とする時限的租税も設けられうるし，平時でも設定法規で賦課期限を定めたものもあった（例えば大正7年の戦時利得税，昭和10年の臨時利得税，昭和22年の非戦災者特別税）。

(2) 租税は国家又は地方団体の提供する役務に対する反対給付たる意義を有しないことこの点で租税は，営造物の使用料 (Anstaltsgebühr) 或いは行政役務に対する手数料（Verwaltungsgebühr）と区別せられる。租税の中でも登録税とか狩猟者税のように，国又は地方団体のなした行政行為を機会に賦課せられるものがあるが，義務者の担税力に応じて税額を決定せられるのであるから手数料ということを得ない。

(3) 租税は収入の目的を以て賦課せられること　この点において租税は罰金・科料の如き刑罰を目的とする金銭給付と区別される。地方団体又は土地改良区が賦課する夫役現品は，その一般納税義務者或いは組合員に対して均一的に賦課せらるる場合には最も租税に近似し，法律も殆んど取扱を一にしているが，夫役現品は労役の提供又は物品の給付と金銭の給付との選択を許していること，及び特定の事業目的のために賦課せられるものであることの二点において租税と性質を異にする。

次に租税は，通常課税団体の一般支出に充てるために賦課せられるのであるが，これには例外がある。即ち，初めから税額の全部又は一部分を特定の費途に充てるべきことを予定される目的税（Zwecksteuer）がこれに属する。道路整備の財源に充てられる揮発油税や地方道路税の如きこれである（なお地方税においては一般的に目的税が認められている。地方税法４条，５条）。

(4) 租税は国家又は地方団体から一方的に賦課せられる給付であること　租税はこれに対する義務者の給付原因が契約でなくして課税団体の単独行為（その形式は直接法律によることがあり，或いは行政行為を仲介とすることがある）である点で専売収入と区別せられる。財政専売が通常消費税たる性質を有するといわれるのは経済面からする観察であって，専売品の価格の決定が税収を重要な標準とすることによるものであり，専売品が法律上強制的に賦課せられるからではない。

終りに租税は国又は地方団体により賦課せられる。公共組合がその組合員に分担せしめる組合費は時として法律上，租税と同一の取扱をなすことがあるが，本質的には租税と異なる。

第2節　租税の種類

租税は財政学上種々の観点から分類せられるが，ここでは法律上意義のある二，三の分類を掲げるに止めよう。

1.　直接税と間接税

直接税と間接税との区別は財政学においても学説の分れるところであるが，わが国法上は主として国税についてその区別の実益があり，直接に納税義務者の所得なり財産を課税物件としているか否かを標準としている（実定法としては国税犯則取締法施行規則1条が間接国税の範囲を列挙している）。税務行政組織の如きは直接税と間接税とによって部局を異にしているし，間接税はその徴収方法や処罰手続において直接税と異るものがある（第6章処罰法参照）。

2.　国税と地方税

課税団体が国家であるか，地方公共団体であるかによって租税は国税と地方税に分たれ，地方税は更に都道府県税と市町村税に区別される。国税と地方税の区別は国が地方公共団体に課税権を付与したことから生ずる。法律上の取扱としては旧税法と異り国税の徴収は地方税に優先しないが（国税徴収法2条II），税源の配分その他の問題について両者の区別の実益が存することはもちろんである。

国税と地方税とは，後者が前者の附加税の形式で賦課せられる場合において特に密接な関係に立つ。又，国税として徴収せられ各地方団体に分与せられる地方分与税或いは地方配付税の方式は実質的には地方税と説明されながらも，理論上に割り切れぬものがあった。シャウプ税制は国と地方団体とは的確に区分された税源をとらえ又，徴収まで各個の責任において独立して行うべきものとする方針を基礎としていたから，この税制が完全に行われた時期（昭和25～28年）には附加税や地方配付税は，わが税制から姿を消していた。ところが，昭和29年度から地方交付税や入場譲与税が採用せられることになり，シャウプ税制の理想は一部分くずされるに至った。尤もこれらは，税と称するが地方団体の収入となる段階においては財政調整資金として国家から法定の基準によって各地方団体に交付せられるのであって，純然たる地方税ではない。

3. 実質税と形式税

租税はもとよりその大部分は実質上も租税たる性格をもつのであるが，時には実質上租税ではなく各種の政策的意味をもち，形式上租税の取扱をうけるものがある。昭和21年実施せられた戦時補償特別税の如きは一定額以上の戦時補償を打切るという政策を実行するために，その補償金を特別税として徴収する形式を採ったものであり，実質上は租税と称することを得ない。同年実施せられた財産税の如きも，最高税率は90%のものであり高額の財産所有者にとっては租税というよりはむしろ救国負担金の如き性格をもっていた。現行税制においても加算税の如きは利子，時には行政罰の如き意味をもっているが，形式上は租税の一部として取扱われている。いずれも形式税ともいうべき賦課金に属するといえよう。

なお昭和29年度より採用されるに至った地方交付税及び入場譲与税は，国税の一部を以てその財源に充てられるのであるが，地方団体の収入となる段階においては平衡交付金と同じく国庫より交付せられる財政調整資金であって，税というのは全く名義に過ぎない。

4. 内国税と関税

国内の課税物件を目的とする租税と外国貨物に対して賦課せられる租税の区別である。

関税は国際条約を基準として賦課せられることがあり，国際的色彩の強い租税であると共に租税技術的にも特長を有する。従って，関税法を中心とする一連の国税法規は内国税法に比して特殊の性格をもつ。

第3節　租　　税　　法

租税法(law of taxation; Steuerrecht)は，行政法の古い体系からいえば財政法や会計法と共に財務行政法の重要部分を構成する。財政法や会計法は国家の財産の管理及び国家の収支の統制を内容とし国家内部の規律を主要部分とするのに対し，租税法は国民に対する国家及び地方団体の課税権に関する運営や制約を内容とし，国民との関係の規律にその重点を置く。

次に租税法は行政法の新しい体系においては，民法の規定する民事的債権法に対する公的債権法とも称すべき法律部門の主要な部分を与えられている。他方において租税が国家と国民との間における債権債務の関係として有する特色は，租税の経済現象としての特質を背景とするものであり，このことは租税の国家歳入における比重の激増するに伴い，租税法をして独立の法律分科として発展せしめる結果となった。第一次世界大戦後間もなく租税法典 (Reichsabgabenordnung) を編纂したドイツでは，法典化を契機として租税法を一つの独立した法律分科として取扱っているし，又アメリカ合衆国でも租税法の発達は近時著しく，主要大学には租税法の講座が設けられている。わが国においても昭和26年以来東京大学及び京都大学に正式の租税法講座が開設され，シャウプ勧告の直後，民間の研究団体たる日本租税協会が設立され，これと相前後して日本税法学会の誕生もみるに至った。

かように租税法はもともと行政法の一分科として発達したものであるが，公的債権法を中枢とする結果，民法や商法の理論と関連するところが多く，又，滞納処分の関係において民事訴訟法と，租税罰との関係において刑法及び刑事訴訟法とも連繫がもたれねばならない。又，租税の経済現象としての面が法規に表現せられる関係上，租税法の研究は財政学や会計学に教えられるところが多いことも否定できない。ドイツ租税法が租税法の解釈についてその経済的意義の考慮を一の基準とするのは（9条，租税調整法1条2項），租税法の特異性を示すものといえよう。

本　　論

第1章　課税の権能

1.　課税権の発動形態――特に租税法規の制定

課税の権能 (das Recht der Besteuerung) は，課税団体がその構成員に対して終局的には租税なる金銭給付を請求することを内容とする基礎的能力である。この能力の行使は団体の課税意思を前提とすることはもちろんであるが，その意思の実現は二つの方法によってなされる。その一は租税法規の制定であり，その二は法規の定める課税要件の実現と共にこれを具体的に適用する課税処分である。

租税法規はいうまでもなく国民一般に対する財的負担を課することを内容とするもので，その制定は国の財政政策に基き慎重になされねばならない。ところで租税法規制定の立法方針について，わが国憲法は明治憲法以来，欧米の憲法の例にならい租税法律主義をとっている。即ち日本国憲法は「あらたに租税を課し又は現行の租税を変更するには法律は又法律の定める条件によることを必要とする」とし(84条，明治憲法62条)，この原則を明示し(義務の面から現行憲法30条，明治憲法21条も同様のことを規定する)，租税の設定，変更については国会の制定する法律を以てこれを定めなければならないとするわけである。

租税法律主義の原則は沿革上，議会制度の起源をなすもので，即ち立憲主義にその思想的根拠を有するものといえよう。又，経済上からいえば健全財政の一標識をなすわけである。1920年前後におけるインフレーション時代のドイツで租税法律主義が例外に例外を重ねたことは右の事実に対する傍証とみられ得よう。わが国における租税法律主義は明治憲法制定以来戦時といえども打ち破られたことはなかったが，それは形式的のことであって，太平洋戦争時代においては翼賛議会は実質的には国民の批判のない租税立法をなしたのであった。平和憲法の今日においてはもちろん租税法律主義は厳格に適用されなければならないし，又，現に実行されているといえよう。唯この原則に対しては二つの例外がある。第一の例外は条約において租税に関し特別の協定がある場合，条約の規定が国内の租税法規に優先することである。このことは明治憲法時代においても関税については国際条約優先の例がとられており，その思想は現在の関税法でもうけつがれている（3条，「輸入貨物には関税定率法により関税を課する，但し条約の中に特別の協定があるときは其の協定に依る」)。現行憲法では条約の法律に対する優位の原則がとられているので租税法規における条約優先も一層一般的根拠を得たことになる。第二の例外は地方税について認められる。地方税については地方税法(昭和25年法 226 号)が一般的規律をなすが，同法においては地方団体に対して法定税の外に別に税目を起して普通税を設ける権能を与え，法定税についても税率その他につき各団体に決定の自由を認めている。

以上租税法律主義に対する二つの例外は，明治憲法時代にも認められていたものであるが，現行憲法の下においては明治憲法時代と異りその実行について行政庁の自由裁量が許されているのではなく民主的制約が加えられていることに注意しなければならない。即ち条約による例外については条約自身，その制定につき事前又は事後において国会の承認を要するものであるし（憲法73条3号)，殊に地方税についてはその賦課徴収の大綱が地方議会が制定する条例によって定められるのであるから，租税法律主義が実質において崩されているとはいえないと思われる。租税法律主義に関する問題はむしろ所得，法人税その他主要国税関係の法規の解釈を内容とする国税庁長官の通達である。この通達は国家行政組織法に基いて長官が外局の長としてその所管の機関に対して発する訓令的規律に過ぎないが，個個の課税法規に対する公権的解釈を形成するもので実質的には有力な法規となっている（同様の現象はアメリカでも見られる。regulatoin や ruling の問題はこれである。サリー・ワーレン著連邦所得税法参照)。

2. 課税権能の地方団体に対する付与

国家はその課税の権能を独占せず一部を地方団体に付与するのが通常である。わが国も又，同様である。課税の権能は地方団体に許容される自治行政権の重要な部分を形成するものであり，財政上からいえば国と地方団体との間における財政調整（Finanzausgleich）の一表徴といえる。

具体的に地方団体にいかなる税源を与え，いかなる範囲において課税の自由を認めるかは，国の租税政策（更に基本的には国の財政政策）の決するところであり，同時に自治政策の如何に影響せらるるところが多い。

ところが中央集権の伝統の強いわが国においては，税制の面においても中央集権主義は遺憾なく発揮され，従来，税収の多い所得税，法人税，酒税等は国税に独占せられ，地方団体は国税に対する附加税を以て税収の大部分を賄うような状態であった。昭和25年のシャウプ税制は地方分権主義に基く改革を断行し，地方団体は附加税によらず各個独立の税源の配分を受け各自の責任においてこれを徴収するという体制を確立したのであった。しかし何分にも国民全般の担税力の乏しいわが国においては税源の大宗を国税に置かざるを得ない状態であり，シャウプ税制の下においても大多数の地方団体は自己税源でその歳出を賄うことができず，平衡交付金その他補助金等を国家から受けざるを得なかった。

地方税制についてはなお二つの問題がある。その一は包括地方団体たる都道府県と基礎地方団体たる市町村との間における税源の配分である。此点につきシャウプ税制は，市町村優先の原則に基き市町村の税源に比較的一般的な税種を付与したのに反し（即ち住民税，固定資産税，電気ガス税等），都道府県には都市的税種（附加価値税，遊興飲食税，入場税）を配したため，農村県及び大都市の財政の自主性を著しく減退せしめた反面，大都市を包括する一部の府県の財政を豊かにする現象がおこった。第19国会における地方税制の改革によって，都道府県民税及び不動産取得税の復活，たばこ消費税の新設（附加価値税は遂に実施されず事業税は依然として賦課されている）等により都道府県税は相当拡充されたが，都道府県の財政の窮乏を救う程度のものではない。

地方税に関する第二の問題は，都道府県なり市町村なりの各階層の地方団体の税収における貧富の差をいかに調整するかということである。財政調整の問題は主としてここに存する。この点については従来，地方財政補給金制度その他種々の制度が採用されたが，シャウプ使節団は地方財政平衡交付金制度を勧告し昭和25年度から実施された。これは結局，地方団体の財政需要額と税収との差額を国から平衡交付金として補給する制度であるが，その総額を国家で確保できないためいろいろの弊害を生じたので，昭和29年度から国税の法定部分を割きこれを配分する地方交付税に切り替えられるに至ったのである（地方税制の変遷については拙著，地方自治制綱要，129頁以下参照）。

3. 国際租税法

国際法上対立する各国の課税権は原則として無制限である。従って各国が相異なる租税組織の下にその課税要件を形成すること自体に対しては何等法律上の制限がない。各国がその固有の利益にある程度の反省をなすことは期待されるが，世界経済における各国の関係が密接となるにつれ，又航空機の発達による各国内の交通が頻繁となるに伴い，いわゆる国際的二重課税は増大して来た。国際的二重課税が生ずる理由は各国の税制がその政治的，経済的，社会的の諸条件を背景に相互に異る課税原則をとっているためである。例えば所得に対する「住所地課税主義」と「源泉地課税主義」の対立，債権に対する「債権者所在地主義」と「債務者所在地主義」の相異の如きこれである。

国際的二重課税は，二以上の独立国家が同一納税義務者に対して同一物件につき同種の租税を課する場合に生ずる。従って，二重課税のおそれを生じ易いのは納税義務者と課税物件との間の帰属関係の複雑な人税，即ち所得税，法人税及び相続税についてである。

国際的二重課税を防止する方法として考えられるのは，第一に国内法によって一定の標準をつくり自国の課税権を制限し二重課税の原因となるべき事項を除去することである。しかしこの方法は，同様の場合において他の国家に対して自国と同様の措置をとることを強制できない点において欠点がある。

国際的二重課税を防止する第二の方法は，条約によって二重課税の原因となる課税について相互にその権能を制限することである。この方法にも二つの区別がある。その一は万国の加入しうべき全般的な国際条約を締結する方法であり，その二は特定国間において二重課税防止の条約を締結することである。前者は各国の租税組織の相異と利害の打算上その実現は容易でないが，1928年国際連盟主催の各国専門家会議において採択された双務主義による租税条約のモデル案はこの方向に一歩をすすめたものであり，各国間の単独条約でこの趣旨にならっているものが少くない。

二重課税防止のため締結された特定国間の単独条約はその例に乏しくないが，わが国が当事国となっているもので最も広汎且つ細密の規律をなすものは，昭和29年日米両国間で締結された所得税及び法人税に関する租税と相続税及び贈与税に関する租税条約の二つである。この条約は日米通商条約の定める原則的規定に従い（11条），且つ租税条約のモデル案の趣旨を体し定められたものであり，近代的内容をもつ租税条約の典型的なものというべきであろう。

第2章 租税債務法

第1節 租税債務関係の特質

金銭負担としての租税を中心として課税団体と納税義務者との間に生ずる法律関係は行政法上の債権債務の関係である。即ち，この基本関係は租税と称する金銭給付を各個人から請求する国家又は地方団体の債権と，その給付をなす個人の債務から成立するのである。この関係においては，一方は他方に対して給付の請求をなす権利を有するに止まるものであって，債務者たる国民に対して支配権を有するものではない。

もとより，租税債務関係は私法上の債務関係と同一ではない。両者の区別せられる点は第一に，租税債務関係の成立及びこれに基き負担すべき債務の内容が，契約によって定められることなく，一に法規又は行政行為によって決せられることである。債務の内容は印紙税，骨牌税等のように，法律によって直接確定せられ，行政行為を以てその具体的内容を決定する必要のないこともあるが，法律の定める基準により，納税義務者なり，税務官署なりの計算を経て定められることが多い。いずれの場合でも，その債務の内容及び範囲について課税団体と義務者との合意は必要としないのである。旧行政判例が「納税義務ハ法令ニ基カザル契約ヲ以テ之ヲ処分シ得ザルガ故ニ紛争解決ノタメ為サレタリトスル滞納市税免除ノ所謂紳士契約ハ有効ト認ムルコトヲ得ズ」となすのも同じ趣旨である（昭和10. 12. 24行政裁判所判決）。

最高裁判所も租税債務関係は公法関係であるから「税務署長のした滞納処分の執行を求める民事訴訟法に基く仮処分は許されない」としている（昭和25.11.12判決，判例集4巻668頁）。

第二に租税債務についてはその履行について特別の強制執行手続が備えられている。私法上の債務に対する強制執行は，債権者及び債務者から独立した第三者たる裁判機関によって行われるが租税債務の場合には債権者が自己の機関により且つ裁判手続によらずして強制執行をなすのである。なお，この外に法規が租税債務の履行を確実ならしめるために各種の行政上の手続を設け，又，違法に債務を免れようとする者に対して制裁を科するのは租税債務関係に附随した権力作用である。

かように租税債務関係は私法上の債務関係と区別せられるのであるが，同種の法律関係であるから，その理論構成には私法理論の類推を必要とすることが多い。例えば，租税法上の連帯債務や保証債務に関する取扱には民法の当該規定が類推せられて然るべきである。

第2節 課税要件

租税債務関係は当事者相互の法律行為に基いてではなく，法律の定める課税要件の完成によって成立する。即ち，課税要件（Stuertatbestand）は通常私法上の債務関係の成立に必要な意思の要素に代わるのである。課税要件は実体的課税法規によって規定せられる課税の抽象的条件であり，その具体化によって課税という法律上の効果が生ずべきものとせられる事項をいう。租税の種類によって個別的に定められるが，その共通な事項は，(イ)課税団体及び納税義務者の如き人的要素，(ロ)所得又は財産というが如き課税の対象をなす物的要素（課税物件），(ハ)両者の帰属，(ニ)課税標準及び税率，これである。

1. 納税義務者

納税義務者（Sfeuerschuldner）とは租税債務関係において給付義務を負う者をいう（国税徴収法では納税人という）。租税債務者といってもよい。納税義務者は租税の法律上における負担者であるが，必ずしも実際上又は経済上の担税者ではない。租税は経済上の負担であって，その給付によって何人かの財産なり所得はそれだけ減少することになるが，経済上の終局的効果において何人を担税者と見るかは財政学上或いは租税政策上の問題であって，必ずしも租税法上の問題ではない。間接税の場合の如き，立法技術として，実際上の担税者を避けて，徴税に便宜をもつ他の者を納税義務者とするのである。

次に，納税義務者は債務としての租税負担者をいうのであるから，租税法上における義務であっても，租税債務以外の義務を負担する者は，ここにいわゆる納税義務者ではない。例えば，租税徴収義務者，即ち租税徴収の委任をうけこれを課税権者に納入する義務を負う者は，租税法上の義務者であるが納税義務者そのものではない（註1）。又，納税義務者が納税地に住所又は居所を有しない場合に置かれる納税管理人（国税徴収法4条ノ8）は納税義務者の代理人である。

次に，納税義務者は権利能力を有する者であることを要する。何となれば，租税債務は法律上の義務であるからである。従って，民法上の権利能力者は常に租税法上にも権利能力者であり，又，義務能力者でもある。例えば，直接税において，個人の所得税と法人税とを区別するがごときこれである。しかし，権利能力なき社団も担税力を認められる限り，理論として必ずしも納税義務者たる能力を否定せらるべきではあるまい（註2）。

すべて国民は法律の定めるところにより納税の義務を負う（憲法30条）。国民は課税要件を充す場合，納税の義務を負うことにおいては平等の地位を認められる。明治憲法下における税制と異り，皇室も亦納税義務を負うことにおいては一般国民と異らない（但し皇室経済法第4条1項の内廷費及び第9条1項の皇族費の中，年額により受ける給付は所得税の課税外とせられる）。

外国人も，外交官等の如き治外法権を有するものを除き，わが国に住所又は居所を有し，或いは営業をなす等，課税要件を充す限り，納税義務者たる資格を有する。

租税債務は財産上の負担であって人的役務を内容とするものではないから，納税義務者の一身上の資格や個別的性格はあまり問題とならない。即ち租税債務は一身に専属する義務ではないのである。租税義務者の個別性は人税において強調されるが，それでも一個の租税債務が履行されるに至るまでの過程において納税義務者が変更することも稀れでない。例えば法人が租税債務を履行せずして解散した場合その債務の承継による義務者の変更があり，納税義務者たる個人が死亡した場合には相続による変更があるわけである。消費課税については雇人の行為に基き営業主が納税義務を負うべきものとせられた例もある。

数人の者が課税物件を共有している場合は，理論的にいえばその数人が各自の持分に応じて共同納税義務者となるべきであるが，国税徴収法は共有物，共同事業又は共同事業により生じた物件にかかる国税及び滞納処分費は納税人が連帯負担すべきことを定め（4条ノ5），地方税法も又，これにならっているから（11条），課税物件共有の場合，租税債務はすべて共有者の連帯負担ということになる。

〔註1〕 間接税のある種のもの，例えば，通行税，入場税等においては，納税義務者は営造物や興行場等の利用者であるが，その徴収は徴収義務者たる管理者を通じてなす外はないから，徴収義務者の徴収義務は国税徴収法により強制執行せられ，不徴収又は未納付の期間に応じて加算税を賦課せられる。この場合の加算税額は性質上は過怠金に類するものであろう。

徴収義務者制度は所得税において源泉徴収が行われるに及び直接税にも普及せられることになった。なお徴収義務者制度と似て非なるものは徴収委託制度である。例えば府県民税の徴収を市町村が代行するが如きこれである。

〔註2〕 ドイツ租税法（105条）は明らかに権利能力なき社団の 納税義務を認めているし，わが国の地方税法でも市町村内に事務所又は事業所をもち，代表者

又は管理人のある「法人でない社団又は財団」を市町村民税の納税義務者としている（294条4号）。

2. 課税物件

租税債務成立のためには一定の所得，相続の事実，特定貨物の存在，特定の法律行為の締結，或いは経済的行為の遂行等の如き法規の定める課税の物的基礎がなければならない。これを課税物件という。課税物件は課税の物的要素ともいうべく，その内容は納税義務者の担税力を推測しうべき物件，或いは同様の経済上及び社会上の生活事実として法規の定めるものであってその種類は甚だ多様である。

第一に，消費課税は通常特定の生産物を以て課税物件とし，課税はこれを製造し，又は製造場或いは課税地域から市場へ引取る機会に行われる。外国から輸入せられる貨物は，国内産業保護の見地から，関税を賦課せられるが，その貨物が国内の消費税の目的となる場合には，更に消費税の課税物件となる。

第二に，流通課税の課税物件の多くは法律上の行為で，その行為の成立又は履行が租税債務を成立せしめるのである。而して，かかる法律上の行為は通常の取引生活において書面の形式で遂行せられるので，流通課税は文書の作成を以て課税の機会とし，これに対して印紙を貼用し，これを消印せしめることにより，課税の目的を達することが少くない（印紙税，登録税）。

第三に，所有課税については，課税物件について物税と人税とを区別することを要する。物税は法律が土地，或いは家屋等と物件を指示し，その所有の事実によって，物件毎に課税する場合（固定資産税）であるのに反し，人税は特定の人格者を中心とし，その所得又は財産を綜合して賦課する場合である（所得税，法人税，相続税）。人税は財産課税を内容とする場合でも個々の財産を課税物件とせず，特定人に帰属する財産を綜合して，これが課税の対象とせられる点において特色がある。

課税物件について一言すべきは課税除外の制度である。課税除外は，初めから課税物件の例外として，全然租税債務を発生せしめない場合であって，個々の場合の課税免除と異る。

3. 帰　属

課税要件中の人的要素たる納税義務者と物的要素たる課税物件との法律上の関連を帰属 (Zurechnung) という。即ち，課税の対象となる物件は個個の存在のみによって課税物件となるのではなく，特定の法人なり個人と関連することによって始めて課税物件たる実体をもつことになる。

帰属が如何なる方法によって行われるかは各個の課税法規の定めるところであるが，通常その課税要件の規律において容易に認識することができる。例えば，輸入貨物の申告者は，申告により貨物との帰属関係を生じて，関税債務を負い，酒類製造業者は，法律により当然酒税の納税義務者となるが如きこれである。しかし，人税のように，個別的に存在する財産又は収入が特定人に綜合せられて始めて課税物件となる場合には，帰属も個々の財産又は収入について考察せられねばならぬこととなり，その関係も複雑となる。

特定の課税物件を何人に帰属せしめるのを妥当とするかにつき問題となるのは，法律の定める帰属の要件に関し，その名義と実体が一致しない場合である。旧行政判例に甲会社が乙会社の株式を自己の取締役の名義で所有していた事案に対し，その配当が甲会社の収入となっていた事実に基いてこれを当該取締役個人の所得でないことを判示したのがあるが (昭和7.1.30行判)，これは帰属の決定に際して，名義よりはその実体に重点を置くことを示すものであり，正当と認められる。ただこの真実性の探究は課税官庁の能力を限度として要求せられることであり，例えば帰属の要件が公簿において証明せられる事実に基く場合は，反証なき限り，公簿の記載を以て標準とすべきである。

4. 課税標準及び税率

課税標準とは課税物件に課税の効果を附着せしめるため適用せられる数量，品質又は価格に関する規定をいう。土地に関する固定資産税について例を採れば，課税物件は土地であって，課税標準は台帳に登録された価格である。

印紙税，通行税等のように課税標準が外見上明白な場合には具体的な租税債務も法律により確定し，従って，別に課税標準を決定する行為を要しないが，そうでない場合には，課税権者の一方的意思或いは納税義務者の申告に基く課税標準の決定を要する。従来，例えば，所得税における所得額決定のように課税標準の決定は官庁の処分であったが，現在の申告制度では課税標準の算定も一応は納税義務者がこれをなし，収税官庁はこれが更正又は決定をなす権限をもつことになっている。なお，課税標準は固定資産税のように課税台帳に登録せられ，一定期間据置かれるというような場合もある。

課税標準が相続税や資産再評価税（昭和25. 法110資産再評価法）の場合のように，財産価格を基礎とする場合においては，財産評価の方法について相当詳細な基準が設けられるのを通常とする。

次に，税率であるが，税率とは税額の決定をなすために課税標準に対して適用せられる比率をいう。価格の標準を要しない租税にあっては，税率は一定の金額として表示されるが（これを定額税という。例えば印紙税，従量関税等），価格を標準とする租税の税率は百分比乃至万分比を以て定められる。その比率の定め方も価格の増加に比例してなされることもあり，或いは累進的に規定せられることもある（比例税率と累進税率）。

第3節　租税債務の成立及び承継

1.　租税債務の成立及び効果

(1)　成立の時期　　納税義務者の負担する租税債務は各個の課税法規の定める課税要件が具体的に納税義務者について完成したときに成立する。即ち，納税義務者及び課税物件が存在し，両者の帰属が行われ，法律の定める課税標準に基き税率を適用して課税し得べき適格性ができた時に租税債務は成立する。これらの課税要件の中，課税物件の存在，特に人税については課税標準の決定が重要性をもつことはもとよりである。

租税債務成立の時期は必ずしもその内容の確定する時期とは一致しない。もとより，租税債務成立のためには特定納税義務者に関する課税要件の具体化を要するのであるが，納付の内容たる税額の確定を必要としない。課税要件の完成が予定せられうべき状態に達することによって成立する。

具体的にいかなる時期において租税債務が成立するかは各個の課税法規の定めるところであり，租税の種類によって異るが，大体の標準を示せば次の通りである。

(イ)　年又は月を以て定期に賦課せられる租税，即ち定期税にあっては，その課税要件は法律の定める各期間の終了するときにおいて成立する。6カ月を事業年度とする法人税については事業年度終了の時であり，酒税や物品税は毎月末である。問題となるのは予定申告及び予定納税を要する所得税の場合における債務の成立時期である。予定債務の存在を認める立場からは，その債務の成立時期は会計年度開始の時というべきであろう。

(ロ)　随時税，即ち課税原因が随時に発生する租税にあっては，課税要件の完成はその原因の発生した時である。例えば，相続税は相続開始の時，登録税は法定事項が公簿に登記又は登録せられる時，砂糖消費税は課税物件を製造者から引取った時がこれである。

(ハ) 関税については法律は特殊な規律を設けている。即ち，外国貨物を船舶から積卸した事実，或いはこれを課税地域へ搬入し，又はその運送をなした事実があっても，原則として租税債務は成立せず，その成立は未定の状態とせられ，別に輸入の事実の確実な予想又はこれと同視すべき状態（例えば保税倉庫への庫入，輸入引取）を定め，この事実を発生によって始めて債務は成立することになる。

(2) 成立の効果　租税債務が成立するときは納税義務者は直ちに，或いは将来一定の時期までに若干の税額を課税団体に給付すべき義務を負い課税団体はこれに対応する債権を取得する。

租税債務の内容たる給付の金題は，印紙税，骨牌税のように，課税標準が法律で定まっている租税においては，債務の成立と同時に確定するのであるが，定期税とか，課税標準について認定を要する随時税については，その税額の確定は一定の時期の経過と手続を要する。なお，申告納税制採用の結果として，租税債務が未確定のまま一定の税額を徴収せられることがあるのに注意すべきである。即ち，この場合は租税債務の確定に先だち一定の金額がいわゆる予定債務の履行として給付せられるのである。

租税債務の成立をその確定と区別する実益は，課税権の債権としての時効の起算点を定める上において，或いは課税標準たる財産価格の計算時期となることにおいて（相続税法22条）存する。又，租税債務成立の時期とその確定の時との間に法律の改正があり，税率が変更せられた場合には，債務成立の時期の税率によって税額を負担することになる。

2. 租税債務の承継

租税債務は金銭給付を内容とするものであって，一身に専属する性質を有しないから，その承継の問題が生ずる。先ず，相続については，国税徴収法が一般的の定めをなしている。即ち，納税義務者が死亡した場合，国税及びこれに伴う附帯債務は相続開始により相続人がこれを継承するので課税団体は相続財団又は相続人からこれを徴収できる（民896条，国税徴収法4条ノ2）。この場合，改正民法では家督相続は存在しないから，各相続人は被相続人たる納税義務者の租税債務の連帯債務者となる。又，これらの相続人が個々に負担する租税債務は被相続人の債務と同一内容を有するのであるが，限定承認の場合には相続人は相続によって得た財産の価額を限度として給付の義務を負うに止まる。

次に，租税債務の承継が行われる事由は会社の合併である。会社合併の場合には，新設会社又は存続会社は被合併会社の権利義務を包括承継するから，被合併会社が負担した租税債務も当然承継する。しかし，会社が解散した場合には，清算終了に至る迄は会社の人格は存続するのであるから（商116条430条），未納租税もその会社の清算事務として取扱わるべく租税債務承継の問題を生じない。ただ会社財産を以てその債務の完済し得ないときには無限責任社員について債務の追求がなされるのである（国民徴税法29条）。

租税債務は以上のような包括承継の場合でなく，個別的権利の承継に伴い承継せられることもある（例えば，鉱業権の移転に伴う鉱区税の承継，地方税法195条）。

第4節　租税債権の保護

国家の有する課税権は債権として，或いは物権法的に或いは債権法上保護せられる。それは租税徴収を確実ならしめる一手段であるが，これらの保護は法律上当然に付与せられるのであって，個々の場合成立する契約を根拠とするものではない。

1.　租税法上の担保物権

法律は債権としての国家の課税権に物的担保の制度を設け，物権的に保護することが多い。

(1)　先取特権　　国税徴収法によれば，一般租税の徴収に関して国及び地方団体は納税義務者の総財産の上に先取特権を有し，総ての他の公課及び債権より優先して弁済を受くべき権利を認められている（国税徴収法2条)。しかし，この原則に対しては二個の例外がある。その一は納税義務者の財産上に質権又は抵当権を有する者に対する例外であって，これら質権者又は抵当権者は，その権利の設定が国税の納期限より1カ年前にあることを公正証書を以て証明した場合には，設定目的たる物権の価額を限度として国税より優先して弁済を受ける権利を有する（国税徴収法3条)。この立法理由は，かような確実な権利を第三者が有する場合に迄，国税に対して厚い保護を認める必要はなく，又認めるとすれば取引の安全を害することとなるからである。ただこの場合において，質権者又は抵当権者が優先弁済を受ける権利は税金に対してのみ認められ，税金附帯の債権（延滞金，滞納処分費その他の共益費用）に及ばないこと（国税徴収法28条2項但書）及び質権者は差押の目的たる質物を一応収税官吏に引渡す義務を負うていること（国税徴収法13条）に注意すべきである。

国税の先取特権に関する第二の例外は，納期前の繰上徴収の場合であって，国税は府県税その他の公課に対する延滞金その他の公益費用に先だち徴収せられ得ない（国税徴収法4条ノ1)。

(2)　質権　　法律は課税団体の債権保全のため，かつては課税物件そのものを当然担保物たらしめるとこがあったし，現に納税義務者に担保の提供を命ずることが少くない。この場合，課税団体はその担保物の上に質権相当の権利を有し，もし，納税義務者がその債権の履行をなさなかったならば，担保物を以て直接税額に充てるなり（金銭の場合），或いはこれを公売して債権の満足をうるのである。

納税義務者が担保物提供の義務を負うべき場合及び提供すべき担保の種類については，各個の法規によって区々であるから，その典型的のものを挙げよう。

(イ) 相続税の場合　　相続税延納の場合，担保の提供を命ぜられる（相続税法38条）。

(ロ) 関税の場合　　債権としての関税に対する物的担保制度について，かつて法律は，課税物件そのものを法律上当然その税額に対する担保物としたが（旧関税法５条），現在はこの主義をすて，金銭，国債その他を法定している（関税法９条）。

(ハ) 各種の消費税の場合　　法律は各種の消費税について物的担保を命ずることが多い。例えば，酒税，砂糖消費税，物品税等これである。担保提供を命ぜられるのは租税債務の履行の猶予を求める場合のみではなく課税物件を移動するごとき場合もこれに属する。酒税については，その保全の上から必要と認めた場合，酒類製造者に対して担保の提供を命じ，又は酒類を担保として保存すべきことを税務署長の権限としている（酒税法43条，施行規則40条）。担保の種類は各課税法規によって等しくない。金銭及び国債に限定しているものもあるし，土地，火災保険に付した建物，工場財団等を加えているものもあり，酒税の如きは確実と認めた保証人の保証，酒造組合の保証をも許している。

2. 債権法上の保護

課税団体は，或いは強制徴収手続により或いは処罰の手段によって，その課税の執行を確保しているのであるが，この他債権法上の保護を目的として次の手段が認められている。

(1)　連帯債務　　連帯債務の概念は民法におけるものと同じく，同一の給付を負担する数人の債務者が各々全部の給付をなすことを要し，1回の給付によって全債権の消滅すべき場合をいう。租税法における連帯債務は，共有物，共同事業又は共同事業によって生じた物件に関する国税について認められる（国税徴収法4条ノ5，地方税法11条）外，解散法人の清算人（法人税法27条，所得税法43条3項）等がこれに属する。改正民法により，家督相続が廃止せられ，相続財産は相続人の共有物となる結果(民898条)，被相続人から承継した租税債務や相続税については各相続人は当然に連帯債務者となる（相続税法39条)。

(2)　保証債務　　前述のように，消費税においては物的担保の提供を命ぜられる場合が多いが，これらの法規において，物的担保と並行して納税保証人を立てることを命ぜられる場合がある。酒税の場合はこれである(酒税法43条)。この場合，保証人と納税義務者との関係は民法上の契約関係であるが，納税保証人となるには，税務署長において確実と認めた者でなければならない。

保証債務の効力は民法上におけると同じである。即ち，課税団体は主たる債務者たる納税義務者に対してまず給付の請求をなし，もし目的を達することが出来ぬ場合に，始めて保証人についてこれを請求することができるのである。

なおこの外，取引所は取引員又は会員の取引税の納付につき保証の責に任ずべきものとせられている（取引所税法12条)。特殊の納税保証である。

直接税について納税保証人を認められることは稀であるが，相続税の延納の場合における保証人の如きこれに属する（相続税法38条)。

第5節　代替的課税要件

立法者が課税法規を制定するに際しては課税要件を詳細に規定し，当該租税の賦課の公平化と普遍化を図らなければならない。しかし，経済上の負担をなるべく少くしようとする努力，事業についていえばなるべく少いコストによってこれを遂行しようとする事業者の意欲は，法規の定める課税要件を充たさないで，別の方法によってその目的を達し，以て租税を回避しようとする。この場合，課税要件を充実しているにも拘らず，納税を怠れば脱税犯となるが，別の名義を用いたり，又は別の処置を講じて実質的に課税を免れようとするのであるから，表面上，脱税犯とはならない。これを租税回避 (Steuerumgehung) という。

租税回避は形式上は課税法規に対する違反行為ではない。一定の経済的目的を達するための法律的手段の選択は各人の自由であり，立法者もその予見した方法と異る手段によって納税義務者がその経済上の目的を達することを禁止することはできないからである。従って，純粋な租税回避行為は制裁法規によってこれを防止するよりは，むしろ課税要件に関する規律によって処置するのを可とする。即ち，法規によって別の課税要件を定めて，同様の課税をなすことによってかかる租税回避は防止せられるのである。これを代替的課税要件という。

代替的課税要件に関する一般的規定はわが国法には存在せず，唯だ各個の課税法規において殊に課税物件について代替的要件が設けられることが多いのである。

代替的課税要件の最も顕著な例は相続税において見られる。相続税が被相続人の生前贈与の形式で屢々回避せられるので，贈与税を設けて広義の相続税の一種としたこと自身代替的課税要件の設定といいうるのであるが，この他，法律は生命保険契約の保険金，退職手当金等について相続財産とみなされる財産を列記している（相続税法3条）。又，信託行為，生前処分による寄附行為，債務の免除等で贈与とみなされる場合も少くない。更に，所得税法に例を採れば，いわゆる「みなし配当」の如きこれに属する。即ち例えば，出資の減少により，持分の払戻をうけた場合，その払戻を受けた金額が，出資を取得するために費した金額を超過する場合，その超過金額は法人から受ける利益の配当とみなされ，所得税の課税物件となるのである（所得税法5条）。

個人課税の重圧を免れるため会社の形態を利用する租税回避は，同族会社に関する課税の特例によってある程度防止せられている（法人税法31条ノ3）。

第6節　租税債務の消滅

租税債務は次のような原因に基き消滅する。

1. 履　　行

履行は租税債務の最も常態的な消滅原因であることはいうを俟たない。履行には現金による納付，印紙による納付の区別があるが，この他，相続税，財産税等の場合のように，物納を認められる場合もある。又納付者による区別としては，納税義務者による納付，納税保証人又は連帯債務者による納付，徴収義務者による納付の種類がある。

履行の特殊形態として説明を要するのは，申告納税による履行であって，所得税についていえば7月に予定申告をなし，同時に一期分の納税をなすのであるが，この場合の履行は実質的には暦年の経過後所得の確定をまって修正せらるべき不確定債務の一部履行に外ならない。

次に，履行は債務額の全体についてなされることもあるが，納税義務者の便宜に鑑み，二期乃至四期に区分してなすことを許される場合が少くない。この場合も債務自体の分割ではなく，単に分割支払の方法が許されるに止まるものと解すべきである。従って，担保の提供を命ぜられる場合でも，その担保は税額の全体に対するものであって，各納期に納付すべきその一部に対するものではない。

申告納税においても，又，賦課課税についても履行は納期においてなされることを要するが，この原則に対する例外は二つの場合に認められる。その一は，繰上徴収の場合であって，これは納税義務者が国税又は地方税の滞納処分を受けた場合とか，破産の宣告を受けた場合とか，逋脱行為があったとかいうように，資力の薄弱又は納税忌避を推測せしめるような事態を生じた場合に，別に納期を定めて納期前の徴収をなすことをいうのであるが，この繰上徴収は納税義務の確定した場合にのみ適用せられるのであるから（国税徴収法４条ノ１），申告納税については，債務の確定がない限り，実施することを得ないであろう。

次に，例外の二は，右と反対に，納期到来にも拘らず，履行を猶予する徴収猶予の場合であって，国税徴収法は納税義務者が災害を蒙り疾病にかかり又は事業につき甚大な損失を受けた時等において１カ年内の徴収猶予を認める（７条）。又，天災その他の一般的災害についての徴収猶予に関しては特別法の定めがある（昭和22法175号）。

2. 免　　除

租税債務は免除により消滅する。免除は税額の全部に亘るものがあり，或いは一部に止まるものがある。前者を免税，後者は減税という。いずれの場合にも，免除は課税除外と異り，租税債務発生後において，行政行為によって，その債務を消滅せしめる場合を総称するのであるが，法律上の用語では両者は混同せられ，実際上も両者の区別は困難なことが多い（昭和21法15号，租税特別措置法における各税の免除は法律上当然行われる)。

免除は災害その他を理由とする納税義務者の担税力の喪失を原因として，行われることが多いが（昭和22法115号．災害被害者に対する租税の減免，徴収猶予等に関する法律参照)，酒税法における輸出用酒類に対する免税（酒税法42条）の如きは特殊の理由によるものである。

3. 消滅時効

課税団体の租税債権は，一般租税については会計法の定めるところにより5年間これを行わないことにより消滅するから（30条)，租税債務もこれと同時に消滅する。関税についてはその時効期間は更に短期であって，2年間とせられる。

租税債権の消滅時効について問題とすべき点は，第一にその起算点である。民法の規定(民166条)を準用して，その起算点を権利を行使しうる時と解するとき，租税についてはこれを以て課税標準を決定した時とするか，納期日とするかが，従来論議せられたところである。現行法としては申告納税制を採る租税と賦課課税とによって異なる。前者については，課税権者が真にその独自の立場により権利を行使しうるのは最終申告期限を終り更正又は決定をなし得る時と考えられるので，その時から時効は進行するものと解する。これに反して，賦課課税については，課税標準の決定をなしうべき時を以て（課税標準の決定を要しないものについては納税申告書を発しうべき時）時効の起算点となすべきである。

要するに租税債権の時効に関しては一般に会計法上の時効と同一の原則が適用せられるから，時効の中断停止については原則として民法の規定が準用せられるが，法令の規定により，政府のなす納入の告知は直ちに時効中断の効力を生ずる（会計法31条，なお，民法153条参照)。納税義務の承認は判例上，時効の中断理由とされるが（昭和5. 7. 21行判），時効完成後においてはその効力はなく，租税債務はいわゆる自然債務となる（大正7. 6. 3行判参照）。

4. 租税滞納処分の停止及び終了

滞税債権は滞納処分の執行を停止してからその取消がない限り3年を経過したとき消滅する（国税徴収法12条）。滞納処分の終了については旧法と異り規定はないが停止の場合の類推より債権の消滅を結果するものとみてよいであろう。これらはいずれも債権の目的到達の不能による消滅原因ということができる。

第7節 納税義務者の債権

租税法における法律関係にあっては，納税義務者が課税団体に対して債務を負担する関係を以て基本とすべきであり，債務法の重要性が強調せられるのであるが，時には納税義務者が租税法規において課税団体に対して債権を有することがある。

納税義務者が課税団体に対して有する債権の例として挙げることを要するのは，過誤納租税に対する返還請求権である。租税の過誤納は納税義務者が不当に多額の税額を納付した場合を総称するのであって，この中には租税債務なきに拘らず，税額の給付をなした場合と，租税債務は存在し，ただ法律上負担すべき税額以上に納税した場合とを含むが，前の場合は義務者は不当利得に対する返還請求権によって，当然国庫にその返還を請求し得べく，問題はない。後の場合，即ち正当の税額以上に納税した場合の返還請求権については，実定法の規定は従来不完全であった。即ち，国税徴収法は従来，過納の税金はこれを未納の税金に充てることをうる旨規定したのみであった（旧4条ノ5）。しかし，昭和23年の改正この方，此点につき，やや国民の権利を保護する規定を設けられるに至ったのである。即ち，過誤納額（物納による納付の場合をも含む）については納付の日の翌日から，還付の日まで百円につき1日4銭の割合を以て計算した還付加算金を附し，返還することになったのである（国税徴収法31条ノ6）。かくして過誤納返還請求権が納税義務者の債権としての実体を有することが明らかにせられた。改正法も過誤納額を以て未納の国税その他の附帯債務に充当する原則は棄てないが（国税徴収法31条ノ5），金銭を以て還付する場合を明らかにし，利子に該当する加算金（これを還付加算金という）を附し，その率も租税債権の場合と同様とした点は一の進歩である。蓋し，過誤納額を以て未納の税額に充当するのは行政上の便宜に過ぎないのであって，これによって返還請求権の債権としての実体は失われるものではないからである。

なお，関税法は過誤納返還請求権に対して特に短期時効の規定を設け，納付の日から起算して2カ年としている（関税法8条）。

納税義務者の有する債権としては過誤納返還請求権と並んで，従来戻税請求権が認められていた。これは輸出の奨励又は工業の助成のため一旦義務者の納付した消費税の税額を払戻す制度であった。

第3章　徴税機構及び課税手続

租税は近代における経済生活の複雑化と共に複雑性を増大してきたことはいうをまたない。租税の歳入における地位の重要性の増加につれて，国民の担税力の存するあらゆる生活関係が課税の対象となるに至ったのみでなく，一方において，課税における公平の原則は課税に関する各種の考慮を法文化せしめなければならないし，他方において，租税負担をなるべく軽からしめようとする経済人の知識とも対抗しなければならない。かような事態において国家は最小の経費を以て最大の効果を挙げて，国庫収入の増大を図ろうとするのである。複雑多岐な課税法規を円滑に運用し，その目的を達するがためには強力にして且つ能率的な徴税機構を備えなければならないが，これと共に簡易にして能率的な手続を定めなければならない。

1. 徴　税　機　構

国の租税行政については，大蔵大臣を最高の行政官庁とし，企画立案の機構として主税局が置かれ別に徴収のため外局たる国税局が置かれ，その下に地方官庁として東京を始め全国11カ所に国税局，更にその下に多数の税務署が設置されて，一般内国税の賦課徴収を司り，全国を通じ8カ所の税関が（但し関税の中央機構は主税局関税部が中心となる）関税行政を担任している。もともと租税行政は迅速且つ強力な処理を要すると共に，納税義務者各個につき課税法規の適切な適用をなさなければならないから，一面において，単独制の且つ執行権をもつ行政機関を必要とすると共に，他面において，国民に接触する最も末端の機関の活動が期待せられるのである。更に，国の税務行政は国家自身の収入部面を司る行政であり，且つ課税法規の複雑性は容易にこれを地方団体への委任を許さない。かようにして，国の税務行政は地方分権主義を採る現行憲法の下においても国家の行政機関によって処理せられて来たし，又将来もかくあらねばならぬであろう。国家の行政機関としての徴税機構の特色は，従来税務署中心主義であって各個の租税に対する調査決定は殆んどすべて税務署がこれを行い，更に税務署長及びその補助機関が収税官吏として執行権を行うという点にあった。いわば国家機構部内における地方分権的のものであった。

かような分権的な徴税機構に対して，近時における改革においては中央集権的の傾向が見られるのである。その理由とするところは，税務行政の綜合的，合理的な運営ということに帰するのであるが，実際面からするその必要性は，各地に散在する納税義務者の課税物件を綜合して大口利得者の脱税を防止しようとするにある。即ち，税務行政は多数の中小納税義務者に対しては，地方機構によって地方の実情に即した方法を採らなければならないが，全国的な地盤をもつ所得者に対しては集権的機構によって綜合的見地からこれを観察しなければならないのである。アメリカが徴税機構の最上部に内国歳入局 (Bureau or Internal Revenue) を設け，大所得者の所得の審査をなすのもこの構想によるものである。

2. 課税手続

租税賦課の方法として従来採用せられていたものは，源泉徴収の方法と納税義務者に対する賦課徴収の方法に大別することができる。前者は課税物件に関係ある者を徴収義務者とし，その者をして納税者に代って納税額を納入せしめる方法であって，流通課税（通行税等）に多く採用せられていた。後者は初めから国家その他の課税権者の側において課税標準を定め税額を決定し，この決定に基いて納税義務者をして債務を履行せしめる方法である。もちろん，賦課納税の方法においても，納税義務者の意思が全然省みられないのではなく，多くはまず納税義務者の課税標準に関する申告を求め，然る後に政府においてこれを決定していた。又，所得税の如き直接税においては納税義務者の選挙する調査委員を以て構成する民主的の委員会で課税標準を調査した後，この調査により税務署長が課税標準の決定をなすという手続によって課税が実施せられていたのである。しかし，これらの申告乃至調査は，税務署長の決定の参考乃至は諮問答申の意味しかもたなかった。少くとも法の建前は，課税はすべて官庁の手によって行われたといって差支えない。

かような官治的乃至官僚的課税手続に対する民主的改革の一手段として採用せられた制度が，申告納税の制度である。申告納税の制度はアメリカにおいて夙に発達したものであって，国民自ら自己の租税を税法の規定に基き計算して申告し，同時に納付する制度である。従来，わが国で行われた申告制による申告は前述のように，単に政府の決定の参考に供せられるに過ぎなかったが，申告納税制においては，納税義務者は自己のなした申告に基いて納税するのである。これは自己の租税は政府の手を煩わさないで納付しようという最も民主的な納税法というべきである。

申告納税制は各個の当該税法に対し納税義務者が相当の理解をもつことを前提とし，且つ納税義務者の納税意欲乃至は徳義心の高揚によって始めて成功を期待しうる制度である。このことはあらゆる民主的制度についていいうることであるが，この制度においては特に強調せられる。何となれば，それは権利の制度でなくして義務の制度であるからである。されば，課税法規としては不知又は不正の納税義務者の存在を予定し，政府に対し納税義務者の申告を更正し，未申告の納税義務者につき決定をなす権限を認めざるを得ないわけである。

以上のような申告納税制は，わが国においては昭和21年財産税に対して採用せられたのを始めとし，漸次，所得税，法人税，相続税等の直接税に普及せられたのであるが，わが国経済の現状殊に税収入の増加を財務行政の目標とせざるを得ない現段階においては，あらゆる手段により申告納税制の欠点を補正し，この民主的手続により税収入の確保が妨げられることがないようにしなければならない。殊に税収入の大宗をなす所得税においては従来の前年度の実収入により賦課せられたのを改めて，賦課年度の所得について納付することになったので，申告納税制も相当複雑なものとなっている。即ち，予定申告は原則として二期において行われ，各期に予定納税額の三分の一が納付せられ，最終期は確定申告として納税義務者としての清算をなすことになる。政府はその調査により，各期における申告書の更正（未申告者に対しては決定）をなすことができるが，確定申告書に対しても更正（未申告者に対しては決定）をなしうることもちろんである。更正又は決定した場合においては，税額が徴収せられるのであるが，確定申告期限（翌年3月15日）後の更正及び決定により増加した税額に対しては加算税が附加せられる。

以上，申告納税制にあっても政府の調査により納税額の変更が行われるのであるが，政府はその調査の資料として所得の支払義務者から各種の給与，利子，配当等に関する通告をうける権利を有する。これらの資料により政府は各種の所得者，多地域の所得者（即ち地域を異にする場所より収入をうる所得者）の所得を捕捉できるのである。国税査察の制度はこの種の調査に万全を期するため設けられたのであった。

所得税における予定申告及び納税制度は，実績課税ではなく予算課税であるだけに法律構成上も難点があるのみでなく，実際運営上にも支障があった。予定納税はその純粋な形態においては，あくまで所得者の主観的予想に基く納税に過ぎないので，この制度の施行当初においては申告納税の成績は極めて不良であった。そこで昭和25年の税制改正により実質的に前年の実績にもとづき予定納税をすることに改められ，次いで昭和29年の改正においては予定納税基準額が決定せられることになった。実績課税の思想が加味されることになったわけである。

なお，昭和29年から第三者通報制も廃止せられることになった。これは納税義務者の納税額に不足がある場合，第三者がその旨を政府に通報しこの事実に基いて政府が当該納税額を決定又は更正したとき，通報者に報償金を与えようとする制度である。大所得者の脱税防止の一手段ではあろうが，国民相互間の税務署に対するスパイを公式に奨励するようなものであり，廃止されたのは当然である。

第4章　租税債務に対する強制執行

租税債務が不履行の場合に，行政上の強制力によって租税の債権としての内容を実現する手続を総括して租税滞納処分手続という。法律はこれを「滞納処分」といい，一個の処分であるかのような用語を採っているが，その実質は単純な処分ではなく，多くの行為から成る手続である。

租税滞納処分は国家の強制力によって私権の内容を実現せしめる民事上の強制執行手続とその手段を一にし，且つその強制力の主体を等しくするが，両者は異る要件により，且つ別個の機関によって実行せられている。租税債務の強制執行について特殊の手続を必要とする所以は，これによって実現せらるべき債権の保護を私権の場合より厚くするがためである。即ち，租税滞納処分は裁判判決を執行名義とする必要なく，単純な行政処分を前提として行われるのみでなく，又，執行吏のような特殊な執行機関によることなく，収税官吏自身によって実施せられるのである。このことは一面，その手続の簡易にして且つ迅速な処理を示すのであるが，他面，殊に債務者の側から見れば，その財産権に対する強力な干渉となるのであるから，滞納処分関係の法規を解釈するに当っては，かくの如き国家債権の強力性に留意し，その債務者の権利との調和を図らねばならぬのである。

租税滞納処分手続は国税徴収法の一部として規定せられているが，他の公法上の金銭給付義務に対する強制執行に準用せられる場合が多く，ために，その手続は公法上の金銭債権の強制執行に関する法典的地位をもつものである。又他面，租税債権の強制執行についても関税法その他において特別の執行手続を定めたものであるから，国税徴収法による滞納処分がすべての租税に通ずる強制執行手続とも云い難いのである。即ち，租税債務に対する強制執行については，国税徴収法における一般手続と特別法による特別手続とが区別せられる。

租税滞納処分に関する基本問題は，国税債権の優越性が同じ滞納者に対する私人の債権者に対して及ぼす影響である。私人が強制執行によって得た成果を，国税の優先の原則によってむざむざ国家の手に渡さなければならない現状は可成り酷であるといえよう。しかし，国家の側からいうと滞納者の手段を尽くしての詐害行為に手を焼く状態である。いずれにしても，これらの問題は正常な納税からいえば病的現象であるといえよう。

第5章　租税に関する争訟

租税は国民の収入及び財産に対し重要な関係をもつ事項であるから，国民の権利保護についても万全が期せられねばならぬ。従来も，租税に関する処分によって権利や利益を侵害せられた者に対する救済制度は他の行政処分に比して完全に近いものであった。

1.　明治憲法下の租税争訟

明治憲法は周知のように，行政事件は特別の行政裁判所によって処理する主義を採っており（61条），同裁判所では法に定められた事件のみを審理する権限をもっていたのであるが，租税争訟はこの数少い訴訟事項の先頭に掲げられていた。「海関税を除く外租税及手数料に関する事件」「租税滞納処分に関する事件」は，即ちこれである（明治23法106号行政庁ノ違法処分ニ関スル行政裁判ノ件)。訴願法も亦同様の規定を設けているが(1条)，訴願は海関税についても特別の手続によって許されている点において行政訴訟の場合より広範囲に認められていたのである。又，各個の税法において訴願の前審として異議の申立（法文ではこれを審査の請求という）が認められるのが通常であった。

一般に租税に関する処分が行政訴訟の対象となる範囲は，「租税の賦課に関する事件」「租税滞納処分に関する事件」の解釈の問題であった。この点に関する行政裁判所の態度は必ずしも適切ではなかった。例えば，公売の公告については滞納処分の一部として訴訟を許したのに反し，督促手続についてはこれを拒否するが如き，或いは租税以外の公法上の金銭債務の強制執行は国税徴収法による場合でも，租税滞納処分ではないとして却下するが如き，不必要に自己の権限を縮小し，行政救済の範囲を狭めた判例も少くなかった（明治憲法下の租税裁判例については美濃部達吉，公法判例大系下巻，行政裁判所年史参照）。

2. 現行憲法下の租税争訟

現行憲法は英米法系の争訟制を採用した結果として，行政裁判所は憲法施行と共に廃止せられ，行政事件に対してもすべて訴訟は許され，一般事件と同様，通常裁判所の管轄に属することとなった。これに伴い租税訴訟もまた通常裁判所民事部で審理せられることになった。

憲法施行後，裁判所における一般の行政事件は取敢ず，民事訴訟法の応急措置法（昭和22，法75），及び裁判所法施行法（2条2項）によって処理せられることになったが，租税争訟については国税徴収法に特則（第3章ノ2）が設けられ，審査の請求に関する一般手続及び審査の決定と訴訟との関係について規定している（昭和22，法29号及び昭和25，法69号による改正）。

租税争訟の特殊性は，相当高度の財政学，会計学等の経済学的知識を要する課税標準の決定の当否を判断する点，殊に所得税，法人税，酒税，関税等における技術的法規の適用の正否を判定しなければならないことにある。されば，アメリカでも特に連邦政府に行政部から独立する租税裁判所(Tax Court) を設けて，これを処理せしめている位である（この判決に対しては抗告巡回裁判所に控訴できる)。旧ドイツでも財務裁判所（Finanzgericht)があった。わが現行制度では特別の裁判所を望むことはできないが，租税争訟では必ず再調査の請求又は審査の請求をなしてからでなくては訴訟の提起は許されず，更に審査の決定に際しては国税庁又は国税局に所属する協議団の協議を経べきものとする点において幾分欠点の補充になろう。又，国税に関する租税争訟においては，訴願法の規定の適用が排除せられていること（国税徴収法31条ノ3ノ2）もその特殊性を示す一端と見られる。

通常裁判所における税務事件の取扱は，一般の行政事件と同様であり，従って，行政事件訴訟特例法の適用をうける。税務事件で裁判所で審議された事件は多いが，就中，租税債務不存在の訴訟と抗告訴訟との関係，課税処分における執行停止の仮処分，税務訴訟における立証責任等，特色のあるものが少くない（裁判所における税務争訟については，中川一郎編租税判例，昭和29年参照）。

第6章　租税犯処罰法及び処罰手続法

1.　行政犯の理論と租税犯

租税犯は行政犯の一種として，一般犯罪に対して特殊性をもち，又，行政犯としても，警察犯等に対して特異な存在をもつといわれている。

行政犯が一般犯罪に対してもつ特殊性というのは，いろいろの学説はあるが，行政犯は行政法規が法令施行のために設けた禁止命令に対しての違反を内容とするに止まり，犯罪と異り，社会が各個人の行動について要求する道義的義務に違反するものではないというのが通説の立場である。この立場の実際的結果は責任の問題に帰着する。即ち，行政犯は法規違反の行為があり，これは法規の処罰の対象となっておれば，その成立を見るわけであり，該行為の主体が自然人たると法人たるとを問うことなく，又，その行為が主観的責任要件たる故意又は過失によりなされたか，どうかはこれを論ずる必要がないとせられるのである。

上述のような行政犯の特殊性は理論上は肯定せられるとしても，必ずしも絶対的のものではなく国により又，時代により変遷があるものである。わが国の実定法の如く，行政犯の処罰を実体法的にも又訴訟手続上も一般刑事法から分別する主義を採らず（刑8条），従って，たとえ行政犯の特殊性を部分的に肯定する傾向が見られても，一貫した立法方針によったものと考えられぬような立法主義の下にあっては，行政犯と刑事犯とを実質的にどう区別するかは困難な問題であって，この点は現行憲法の下においても同様であるばかりか，英米系統の法制に近づきつつある現状では，むしろ両者の区別は次第に否定せられるのではないかとも思われる次第である。

租税犯は従来，警察犯と共に行政犯の主要な部分をなし，その処罰は税法施行の行政目的達成を目的として行われ，科罰も主として金銭罰に限られていた。又，行政犯の内でも警察犯と異り，脱税犯の如き，脱税額の3倍又は5倍を罰金額とし，一種の損害賠償的性格をもつものと考えられていた。更に，納税義務者の脱税犯については，各税法とも法律の不知に対する減刑(刑38条3項但書)，心神耗弱者，瘖唖者に対する減刑（刑39条2項，30条），14歳未満の未成年者に対する不処罰（刑41条），二個以上の罰金刑の場合の軽減（刑48条2項），従犯の減刑（刑63条）及び酌量減軽（刑66条）に関する刑法の各規定を適用しない旨の規定を設け，違反者の主観的要件を考慮せず，客観的要件たる脱税の事実のみにより，処罰するという行政犯的考慮をなしていたのである（戦前の租税犯については美濃部達吉，行政刑法概論，昭和14年参照)。

2. 租税犯処罰に対する新たな傾向

租税犯特に脱税犯に対する前述のような行政犯的取扱に対しては戦時中よりこれに対する国法の観念の変更を示すが如き改正が行われて来た。それは脱税犯に対する一般犯罪的取扱である。即ち，間接税については昭和19年より，直接税については昭和21年より，脱税犯についても懲役刑が科せられ，罰金刑との併科等が認められることになった。この新たな傾向は戦時中より租税負担が強化せられ，これに伴い脱税犯に対する国法の態度，国民のこれに対する感覚が変化したことによる。終戦後においても，租税負担は益々強化せられたのみでなく，租税の国家歳入における地位の重要性は益々加えられたので，民主的課税方法が採用せられる一方において，違反者に対する処罰は一層厳重になったわけである。

しかし，一面，脱税犯に対する行政犯的取扱が全然廃止せられたわけではない。即ち，脱税犯に対して懲役刑を科さないで，罰金刑に処する場合には刑法の適用除外（但しその範囲は刑48条2項，63条，66条を出でない）がなされるのである（例えば所得税法74条，酒税法66条）。

次に，法人の犯罪能力に関しては，租税犯に対しては夙に法律によりこれを肯定する解答が与えられたのであるが（明治33法52号），昭和19年以来，法人の代表者，代理人，使用人その他の従業者が租税犯をなした場合，行為者を罰する外，法人をも罰すべきものとする，いわゆる両罰規定が設けられたのである。又，この両罰主義は自然人の代理人，使用人その他の従業者の行為についても同様適用せられている。

これを要するに，法律の租税犯特に脱税犯に対する従来のような行政犯的取扱は漸次稀薄化しつつあるといえよう。脱税犯に対し罰金刑を課する場合に刑法総則の除外規定の適用することは罰金刑の場合における処罰強化の一方策とも見られうる。なぜならば，この場合の特殊処置は脱税犯なるが故の取扱ではなく罰金を科する場合の科罰方法に過ぎないからである。しかしこういった租税犯の行政犯的取扱の稀薄化が見られる一面，近時の判例においては租税法規の技術的特殊性に基く租税犯の特殊性が窺われるのである（河村澄夫，税法違反事件の研究，司法研究報告書4輯8号）。

なお，租税犯には脱税犯（或いは逋脱犯）と秩序犯との区別があることは従来と同じである。秩序犯には納税義務者を行為の主体とするもの，支払義務者等の如き納税義務者以外の関係者を主体とするもの，収税官吏の職権濫用も包含せられる。

3. 租税犯処罰手続

租税犯の処罰は原則として刑事訴訟手続によって，刑事裁判所の宣告によって行われるが，例外として終戦前から関税及び法律の特定する間接国税法規の犯則に対しては特に行政官庁の通告処分による簡易な処罰手続が認められていた。終戦後，間接国税のみならず，直接国税の違反に関しても収税官吏に対して質問，臨検，捜査，差押の権限が認められ，租税犯に対する強制権は強化せられることになった。従って，その根拠法も従来の間接国税犯則者処分法が改称せられて，国税犯則取締法と称せられることになった（昭和23年「所得税法の一部を改正する等の法律」15条）。

文献

忠佐市	租税法要論	（昭和25年）
同	税法と会計原則	（昭和28年）
田中勝次郎	改正法人税法の研究	（昭和26年）
キンメル著（大原一三訳）	租税と企業	（昭和28年）
杉村・村山・野村共著	所得税法	（昭和29年）
中川一郎編	租税判例	（昭和29年）
法務省訟務局編	行政判例総覧	（昭和28年）
綜合法規研究所編	税務法規総覧	
ジュリスト（109号以下）	租税法セミナー	（昭和31年）

A. Hensel, Steurrecht, 3. aufl, 1933（拙訳独乙租税法論）
M. Metz, Das deutsche Steuerrecht, 1950.
O. Bühler, Steuerrecht, Bd. I, 1950 ; Bd. 2, 1953.
F. Pendele, Das Steuerrecht der Abgabenordnung, 1950.
H. Göttel, Steuerrecht, 1950.
E. Blümenstein, System des Steuerrechts, 1944.
Bruton. Cases on taxation. 1949.
Griswold, Cases on federal taxation, 1950.
Blough, The federal taxing process, 1952.
Surrey and Warren, Federal income taxation, 1950.
Stanley and Kilcullen, The federal income tax, 1953.

昭和三十一年十二月二十日 初版第一刷印刷
昭和三十一年十二月二十五日 初版第一刷発行

租税法学概論

著作者 杉村章三郎（すぎむらしょうざぶろう）
東京都千代田区神田神保町二ノ一七

発行者 江草四郎
東京都千代田区神田鎌倉町十九

印刷者 浅野末五郎
東京都千代田区神田神保町二丁目十七番地

発行所 株式会社 有斐閣
電話 九段(33)〇三二三・〇三四四
本郷支店 文京区東京大学正門前
京都支店 左京区北白川追分町一

印刷 株式会社 有光社
製本 株式会社 高陽堂

租税法学概論（オンデマンド版）

2015年8月1日　発行

著　者　杉村　章三郎

発行者　江草　貞治

発行所　株式会社 有斐閣
〒101-0051　東京都千代田区神田神保町2-17
TEL　03(3264)1314(編集)　03(3265)6811(営業)
URL　http://www.yuhikaku.co.jp/

印刷・製本　株式会社 デジタルパブリッシングサービス
URL　http://www.d-pub.co.jp/

AH282

ISBN4-641-91663-2　Printed in Japan